Para Rana Esculenta,

con un agradecimiento para mis
dos conejitos de Indias, Rose y Albert

Título original: BEWARE OF THE FROG

© Texto e ilustraciones: William Bee, 2008

© EDITORIAL JUVENTUD, S. A., 2008
  Provença, 101 - 08029 Barcelona
  info@editorialjuventud - www.editorialjuventud.es

Traducción de Carlos Mayor

Primera edición, 2008

ISBN: 978-84-261-3671-8

Núm. de edición de E. J.: 11.079

Printed in China

CUIDADO CON LA RANA

william bee

Editorial EJ Juventud

Ésta es la historia

de una anciana encantadora
que se llama Desazón Zozobra.

La señora Zozobra vive en una casita
que está al lado de un bosque
negro como la boca del lobo.

Para protegerse de todas las criaturas
horripilantes que viven en el bosque
negro como la boca del lobo,
la señora Zozobra sólo tiene a...

la ranita que le hace compañía.

¡Mirad! La pobre señora Zozobra
se ha escondido en la cocina.
¿A quién ha visto salir del bosque
negro como la boca del lobo?

¡Huy, huy, huy!
Ahí viene un ladrón malvado,
el Caco Narigudo, siempre
dispuesto a robar a alguna
ancianita encantadora.

«*Turururá-turururín,*
si hoy tengo suerte
me llevaré un buen botín.

Me encanta robar dinero
y cualquier cosa reluciente.
Entro y salgo de tu casa
en un pispás.»

«¿Qué pone aquí? ¿**"CUIDADO CON LA RANA"**?

A mí ninguna rana me impide llevarme

lo que me gusta. ¡A ver si la robo también!

Turururá-turururín,

si hoy tengo suerte

me llevaré un buen botín.»

Y así, sigilosamente,

el Caco Narigudo abre la puerta.

Pero, huy, huy, huy, a la rana

no le hace mucha gracia, ¿verdad?

¡**Mirad!** La pobre señora Zozobra
se ha escondido en el lavabo.
¿A quién ha visto salir del bosque
negro como la boca del lobo?

¡Huy, huy, huy!
Si es el Bicho Apestoso,
que siempre se mete en casa
de alguna ancianita encantadora
y atufa tanto que la echa.

«*Chumba-caramba, chumba-cachumba,*
voy soltantdo peste,
una peste que tumba.

La casa de esta ancianita
es exactamente lo que buscaba.
Voy a soltar un tufillo fétido
para que tenga que salir corriendo.»

«¿Qué pone aquí? ¿"**CUIDADO CON LA RANA**"?
¡Pues voy a dejar una pestilencia tan colosal
que la rana también tendrá que irse pegando saltos!

Chumba-caramba, chumba-cachumba,

voy soltando peste,

una peste que tumba.»

Y así, con un tufo nauseabundo,
el Bicho Apestoso abre la puerta.

Pero, huy, huy, huy, a la rana
no le hace mucha gracia, ¿verdad?

REQUETEÑAM

¡Mirad! La pobre señora Zozobra
se ha escondido en el dormitorio.
¿A quién ha visto salir del bosque
negro como la boca del lobo?

¡Huy, huy, huy!

¡Es el Ogro Zampabollos!

Tiene ganas de cenar

y su plato favorito es...

ancianita encantadora al ajillo.

«*Catatapumba, catatarranza,*
tengo ya ganas de llenarme la panza.

Qué buena pinta tiene esto.
Me hacen ruido las tripas
y tengo que cenar algo.
Hoy me apetece
una anciana jugosita
con mucho ajo y perejil.»

«¿Qué pone aquí? ¿**"CUIDADO CON LA RANA"**?
Vaya, vaya, con lo que me gustan a mí
las ancas de rana encebolladas.

Catatapumba, catatarranza,
tengo ya ganas de llenarme la panza.»

Y así, relamiéndose,
el Ogro Zampabollos abre la puerta.

Pero, huy, huy, huy, a la rana
no le hace mucha gracia, ¿verdad?

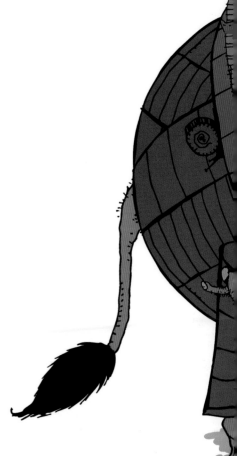

REQUETEÑAM
ÑAM

Y ésta ha sido la historia de una anciana encantadora
que se llama Desazón Zozobra y vive al lado
de un bosque negro como la boca del lobo.

Ahora la señora Zozobra
ya no tiene que pasarse el día
escondida en su casita.

Y todo gracias a la ranita que le hace compañía.

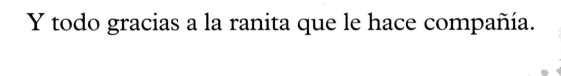

La señora Zozobra pregunta:

«Ay, ranita mía, corazón,

¿cómo podría agradecértelo?»

La rana piensa un poco y propone:

«Quizá con un besito.»

Dicho y hecho:

la señora Zozobra

le da un beso... y...

¡MAGIA POTAGIA!

La señora Zozobra se transforma
en una rana... Eso sí, encantadora.

Pero, huy, huy, huy, a la señora Zozobra

no le hace mucha gracia…

¿Verdad?